KT-212-216

DAS MAGISCHE AUGE

Dreidimensionale Illusionsbilder
von Tom Baccei (N. E. Thing Enterprises)

98 97 96 95 94   11 10 9 8

© 1994 für die deutsche Ausgabe arsEdition, München
Aus dem Englischen von Werner Horwath
Titel der Originalausgabe: »Magic Eye« · © 1993 N. E. Thing Enterprises
Originalverlag: Andrews and McMeel, Kansas City (USA)
Alle Rechte vorbehalten · Printed in Belgium · ISBN 3-7607-8297-3

EINFÜHRUNG

Auch wenn der Titel »Das magische Auge« heißt, braucht man keine besonderen Fähigkeiten, um die Bilder zu erkennen, die in diesem Buch gezeigt werden. Wir nennen diese Bilder einfach »magische Bilder« und erklären Ihnen, wie man es lernen kann, sie zu sehen.

Sie benötigen keine spezielle Brille, um die einzigartigen, dreidimensionalen Bilder zu erkennen, die auf gewöhnlichem Papier ohne besondere Behandlung gedruckt sind.

Die Grundidee hierzu wurde vor vielen Jahren geboren. Manche Leute bezeichnen die frühen Erscheinungsformen der magischen Bilder als »Zufallspunkt-Raumbilder«. Andere wiederum glauben überhaupt nicht daran – aber das steht auf einem anderen Blatt.

In den 60er Jahren führte Dr. Bella Julesz als erster mit Hilfe von dreidimensionalen Bildern, die von einem Computer erzeugt wurden und aus zufällig angeordneten Punkten bestanden, Versuche zur optischen Tiefenwahrnehmung von Menschen durch. Da diese Punkt-Bilder keine zusätzlichen Informationen wie Farben oder Formen aufwiesen, konnte er sicher sein, daß seine Versuchsperson ein dreidimensionales Bild sieht, sofern sie irgendetwas erkennt.

In den folgenden Jahren wandten immer mehr Forscher Zufallspunkt-Bilder in ihren Arbeiten an; viele unter ihnen waren Schüler von Dr. Julesz. Im Lauf der Zeit entwickelten sie immer neue und bessere Techniken, um die interessanten Illusionen zu erzeugen.

Während der letzten Jahre haben Hobby-Forscher und Künstler diese faszinierende Technik zur Vollendung gebracht. Sie erkannten nicht nur, daß die Grundidee der Zufallspunkt-Bilder technisch weiterentwickelt werden kann, sondern auch, daß sich daraus eine ganz neue Kunstform entwickeln läßt. Wie schon auf dem Gebiet der Fraktale bieten leistungsstarke Computer die Möglichkeit, sowohl für die künstlerische als auch für die wissenschaftliche Seite der Anwendung selbst komplizierteste Berechnungen durchzuführen. Jeder, der etwas Ausdauer mitbringt und sich an neue Grenzen wagt, kann mit Hilfe von PCs einiges zuwege bringen. Dan Dyckman wurde in diesem Bereich aktiv. Seine bekannten und unterhaltsamen Veröffentlichungen haben viele von uns begeistert. Die vielfältigen Kunst- und Technikprodukte von Mike Bielinski leisteten einen Beitrag, die »STARE-E-O 3-D-Bilder« bekannt zu machen.

In Japan und Südkorea haben »STARE-E-O-Bilder« und Bücher über dreidimensionale Illusionsbilder innerhalb kürzester Zeit eine regelrechte Kultbewegung hervorgerufen.

1992 und 1993 standen Bücher wie »Das magische Auge« ganz oben in den Bestsellerlisten, und für diese Begeisterung ist noch kein Ende in Sicht! Dazu tragen viele Neuerscheinungen bei, die immer mehr solche einzigartigen, schönen und faszinierenden Bilder von 3-D-Künstlern verbreiten. In Japan war das Betrachten dreidimensionaler Bilder schon Schwerpunkt unzähliger Fernsehshows. Es entstanden sogar Kontaktstellen und Clubs, in denen 3-D-Begeisterte ihre Erfahrungen über diese neuartige und fesselnde Kunstrichtung austauschen und weitergeben.

Es ist eine große Herausforderung, einen Schritt in die beinahe übersinnlich scheinende, kaum faßbare Wirklichkeit dieser Darstellungsweise zu wagen. Und wie es auch bei den meisten anderen Experimenten im Bereich der Magie der Fall ist, hat schon bald die Faszination von uns Besitz ergriffen und läßt uns nicht mehr los. Sehen Sie sich also vor – haben Sie erst einmal Ihr magisches Auge entdeckt und trainiert, erwerben Sie die Gewißheit, daß in allen Dingen, die Sie sehen, noch mehr zu entdecken ist.

ANLEITUNG

Man kann ganz einfach lernen, das magische Auge zu benutzen – genauso wie das Fahrradfahren. Hat man es einmal geschafft, wird es immer einfacher und geht schließlich wie von selbst. Am besten ist es, den Blick des magischen Auges in einer ruhigen, spannungslosen Umgebung und Atmosphäre zu erlernen. Für die meisten Menschen ist es schwer, für einige Zeit von der Hektik des täglichen Lebens abzuschalten und zum ersten Mal ein plastisches magisches Bild zu erleben. Wenn es Ihnen andere beibringen wollen, oder Sie bei Ihren ersten Versuchen beobachten, kommen Sie sich wahrscheinlich lächerlich vor und reagieren unnatürlich. Obwohl das Sehen mit dem magischen Auge gerade im Büro oder bei geselligen Anlässen besonders viel Spaß macht, sind diese Orte am wenigsten geeignet, es zu erlernen. Schaffen Sie es beim ersten Mal nicht in zwei oder drei Minuten, warten Sie lieber auf einen ruhigeren Moment und versuchen es dann noch einmal. Für manche Menschen bedeutet es zunächst eine große Anstrengung, das Sehen mit dem magischen Auge zu entwickeln – aber alle bestätigen, daß sich die Mühe auf jeden Fall lohnt!

Alle Bilder dieses Buches bestehen aus sich wiederholenden Mustern. Um ein magisches Bild zu »sehen«, müssen zwei Dinge geschehen: Zunächst visiert eines Ihrer Augen einen bestimmten Punkt in einem Muster des Bildes an. Währenddessen tastet das andere Auge das Bild nach dem entsprechenden Punkt im nächsten Muster ab. Ist dies geschehen, müssen Sie die Augen immer in dieser Position ruhen lassen, bis in Ihrem Gehirn die 3-D-Informationen, die unser Computer in die wiederkehrenden Muster der Bilder codiert hat, aufgeschlüsselt werden und schließlich als bezaubernde Gebilde vor Ihren Augen erscheinen.

Es gibt zwei Möglichkeiten, unsere 3-D-Bilder zu betrachten: durch Schielen nach innen oder durch das Auseinandergehenlassen der Augen. Das Schielen tritt auf, wenn Sie mit den Augen einen Punkt zwischen Ihnen und dem Bild anvisieren. Das Auseinandergehen der Augen tritt auf, wenn Sie einen Punkt anvisieren, der hinter dem Bild liegt.

Unsere Bilder sind alle so konzipiert, daß sie mit auseinandergehenden Augen betrachtet werden sollten. Es ist zwar auch möglich, sie durch Schielen zu sehen, aber dann dreht sich der Tiefeneindruck um! Das heißt, wenn wir Ihnen ein Flugzeug vor einer Wolke zeigen wollten, würden Sie durch das Schielen ein flugzeugförmiges Loch in der Wolke erkennen. Nachdem Sie sich die eine Methode angeeignet haben, können Sie getrost auch die andere Methode ausprobieren. Sie werden sehen, es macht Spaß! Bleiben Sie aber am besten bei einer Methode – die mit den auseinandergehenden Augen ist zweifellos die bessere.

Noch eine Bemerkung, bevor sie anfangen. Obwohl diese Blicktechnik ungefährlich ist und sogar als wohltuend empfunden wird, sollten Sie nicht übertreiben. Überanstrengen Sie Ihre Augen nicht! Sonst könnten Sie sich unwohl fühlen – und das ist wirklich nicht der Sinn der Sache. Alles, was Sie tun müssen, ist: Zurücklehnen, tief durchatmen … und die Bilder kommen von selbst.

Erste Methode

Halten Sie das Bild so, daß Sie es mit Ihrer Nasenspitze berühren. Beachten Sie die Leute nicht, die sich dabei über Sie amüsieren. Lassen Sie die Augen entspannen, und starren Sie einfach geradeaus, als würden Sie durch das Buch hindurchblicken. Gewöhnen Sie sich dabei an den Gedanken, das

Bild zu betrachten, ohne es anzusehen. Wenn Sie wirklich entspannt sind und mit Ihren Augen keinen Punkt mehr fixieren, bewegen Sie das Buch langsam von sich weg, etwa einen Zentimeter pro Sekunde. Halten Sie das Buch still, wenn Sie Ihre gewohnte Leseentfernung erreicht haben, und lassen Sie Ihre Augen weiterhin in der Starrstellung verweilen. Nun kommt der Moment, der Ihnen die meiste Disziplin abverlangt: Jetzt beginnt sich vor Ihren Augen ein räumliches Bild zu entwickeln. In diesem Augenblick versuchen Sie vielleicht, die Seite zu fixieren anstatt durch sie hindurch zu blicken. In diesem Fall verschwindet das Bild umgehend. Wenn es Ihnen so ergehen sollte, beginnen Sie noch einmal von vorn.

Zweite Methode

Das Umschlagbild ist glänzend. Halten Sie das Buch so, daß Sie eine Lichtreflexion erkennen können, z. B. wenn Sie das Bild unter einer Lampe betrachten. Blicken Sie einfach auf den Punkt, auf den das Licht fällt, und behalten Sie dabei Ihre Augen immer in derselben starren Stellung. Nach einigen Sekunden werden Sie einen Tiefeneindruck gewinnen, dem schließlich ein dreidimensionales Bild folgt.

Die Bilder in diesem Buch sind von zunehmender Schwierigkeit. Auf den letzten Seiten finden Sie 3-D-Bilder, die Sie nur sehen werden, wenn Sie das magische Sehen entwickelt und geübt haben.

Die ersten drei Bilder beinhalten kein verborgenes Bild. Die dargestellten, sich wiederholenden Objekte scheinen beim richtigen Betrachten im freien Raum zu schweben. Beginnen Sie auf jeden Fall mit diesen Seiten, bevor Sie sich von den verborgenen magischen Bildern verzaubern lassen!

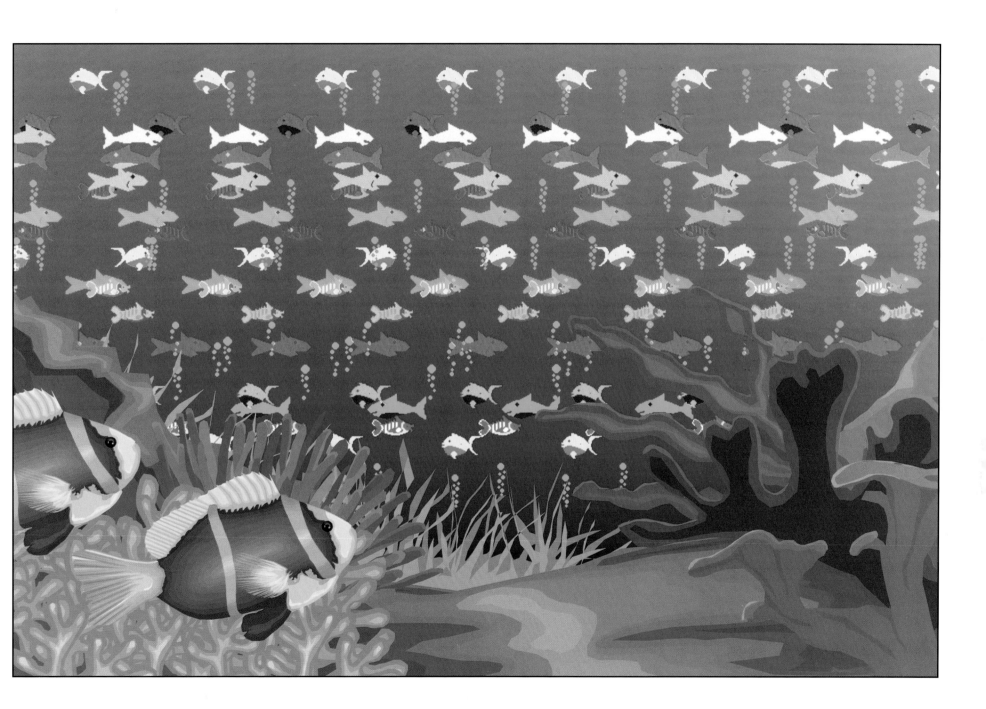

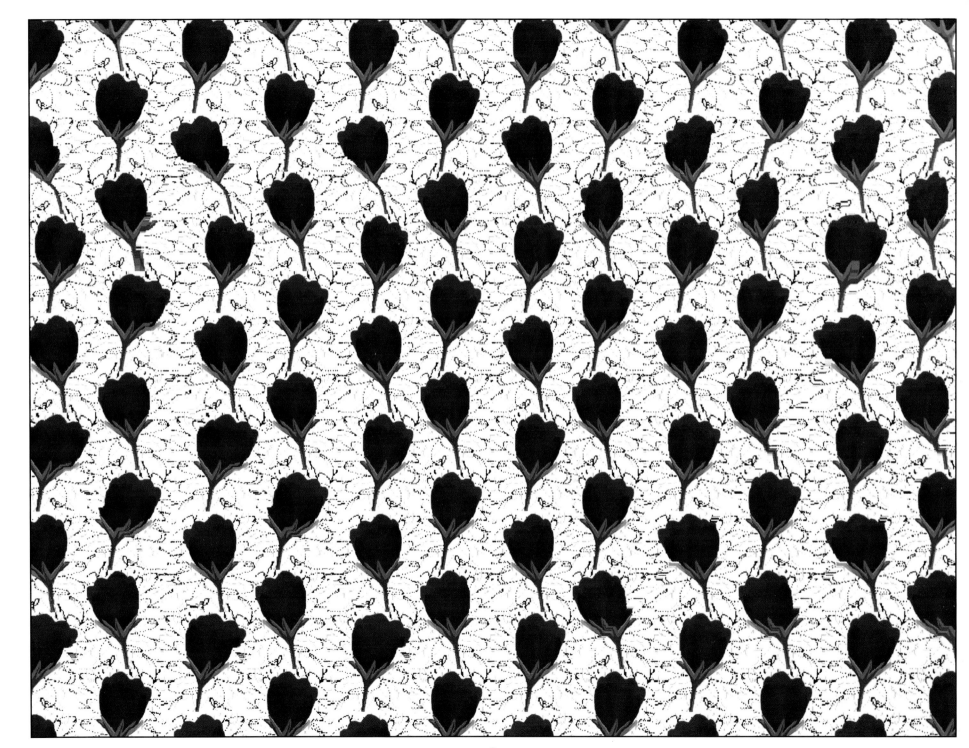

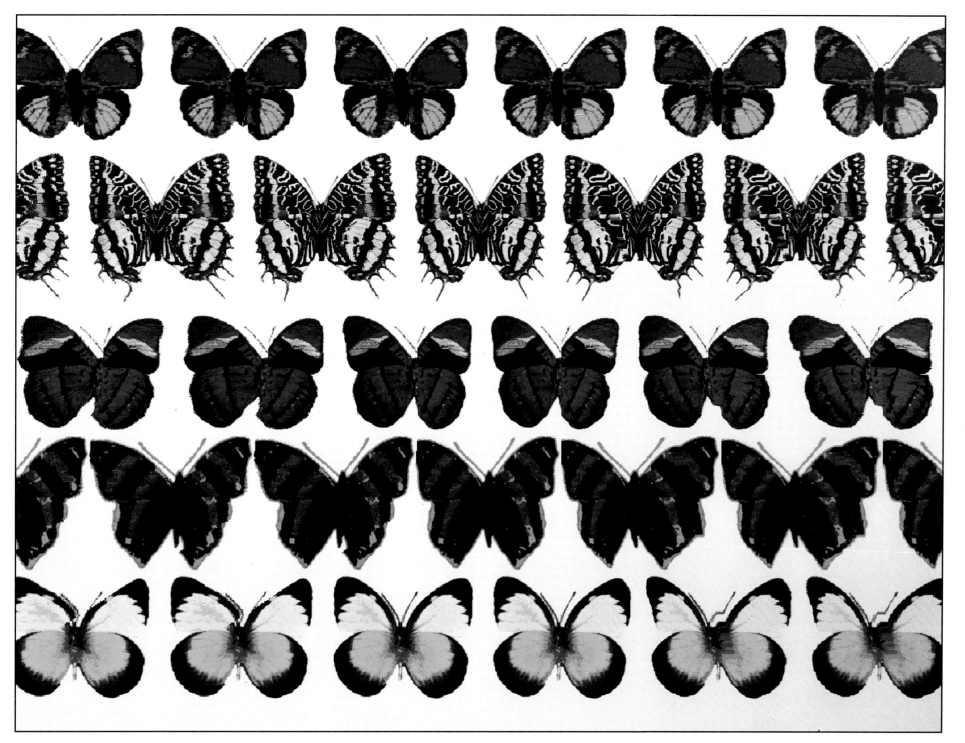

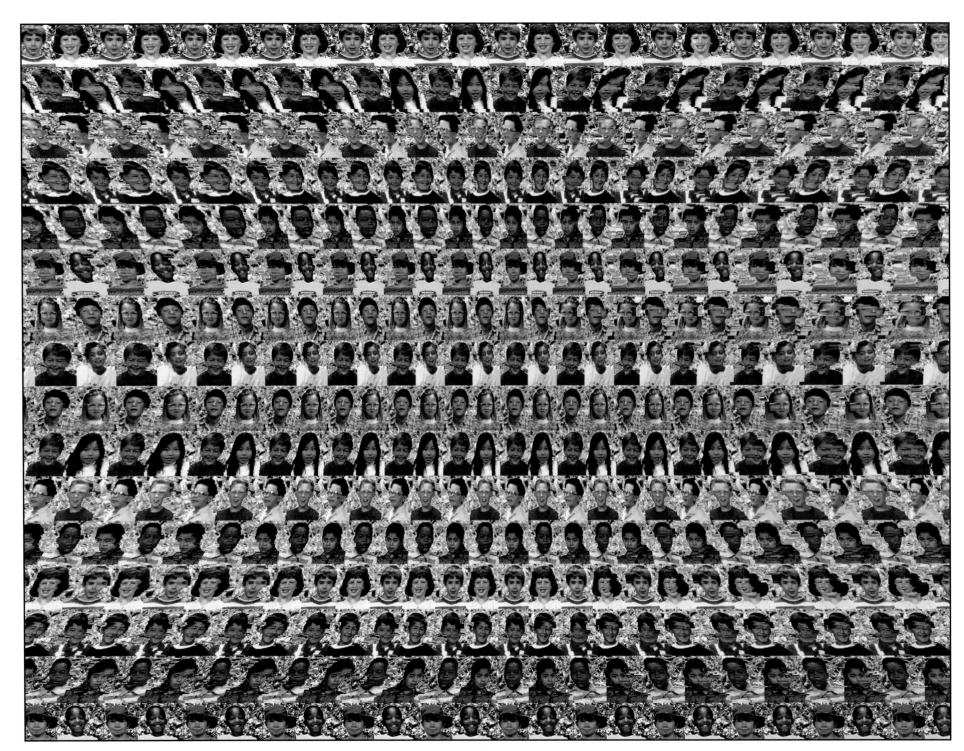

10

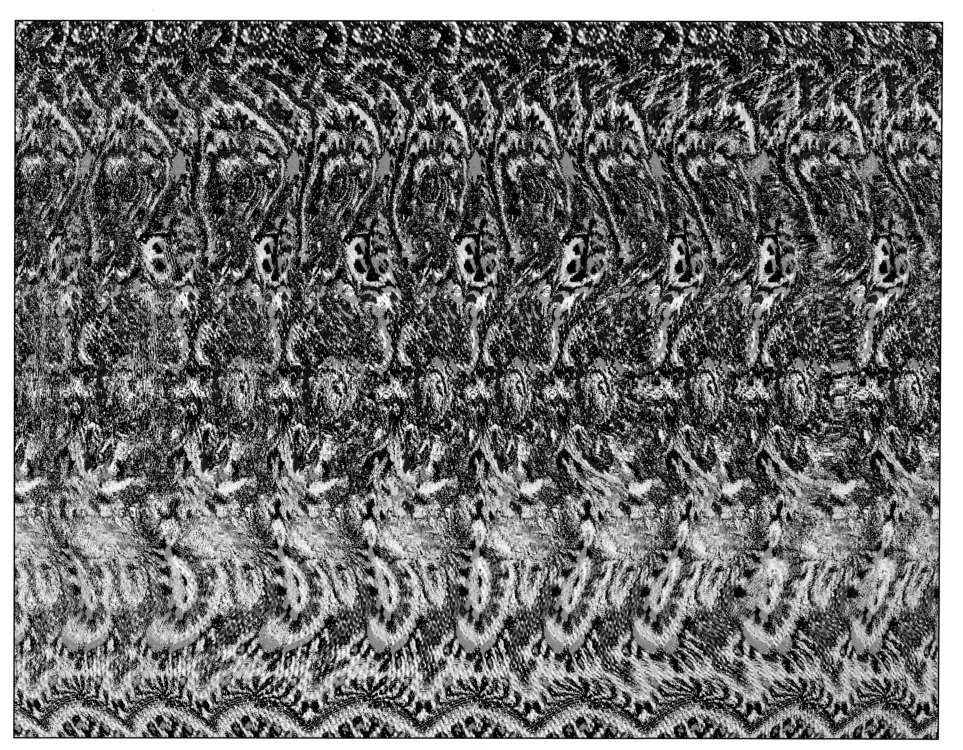

11

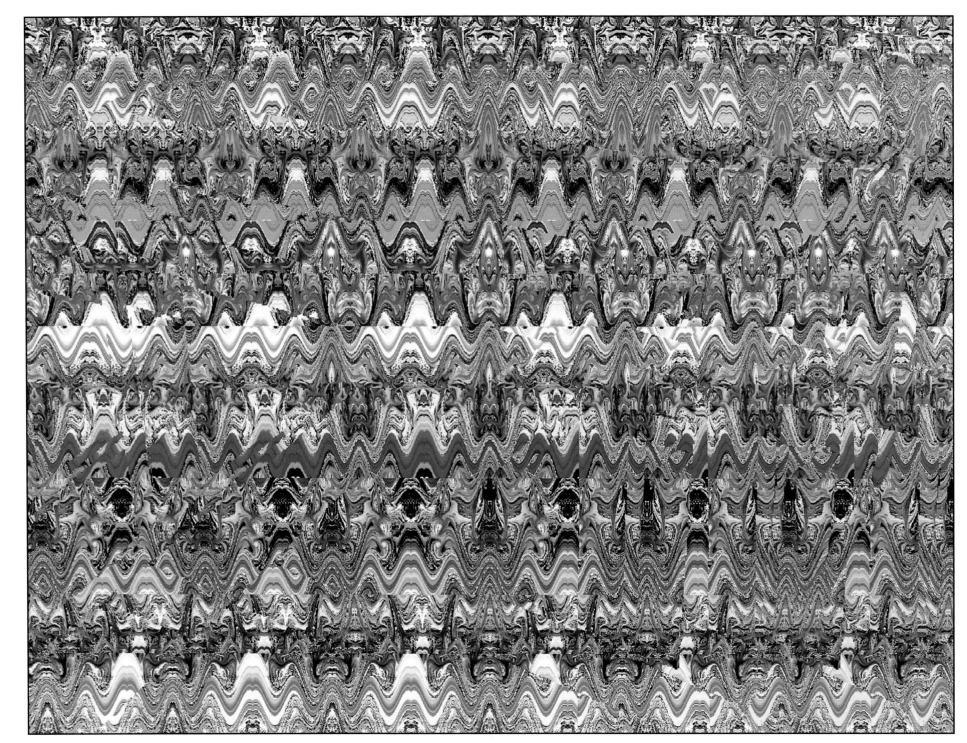

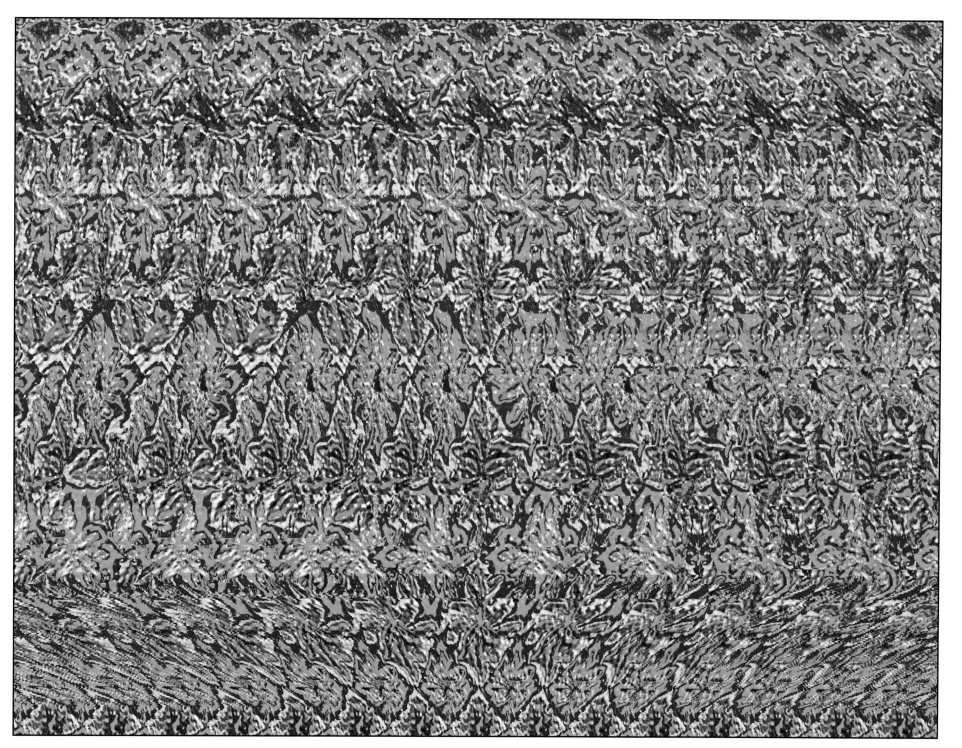

13

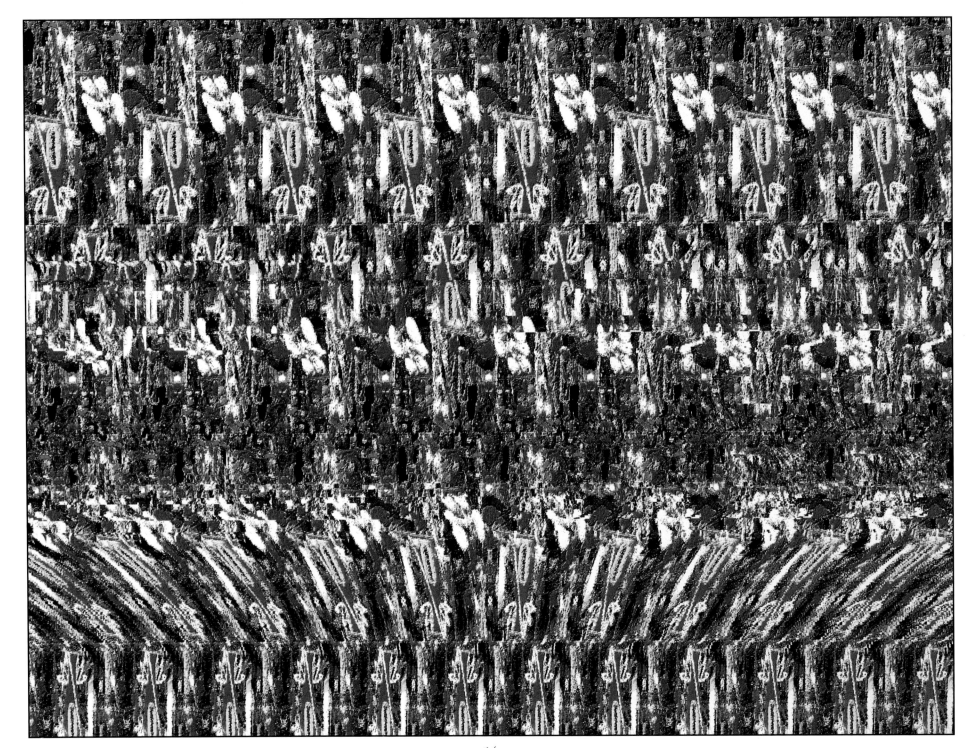

14

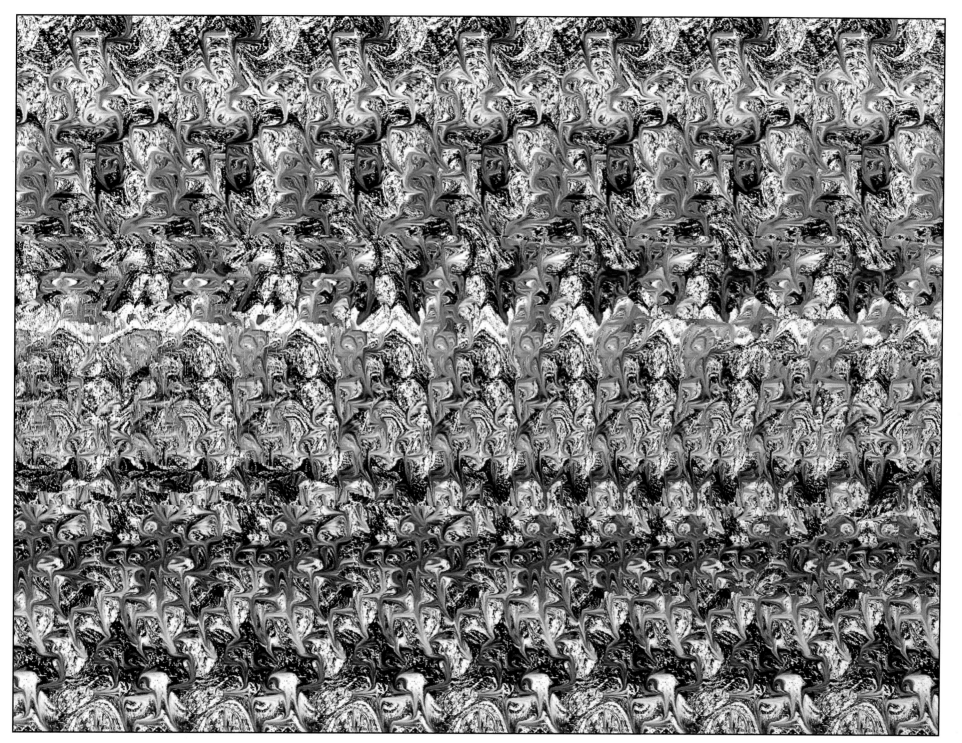

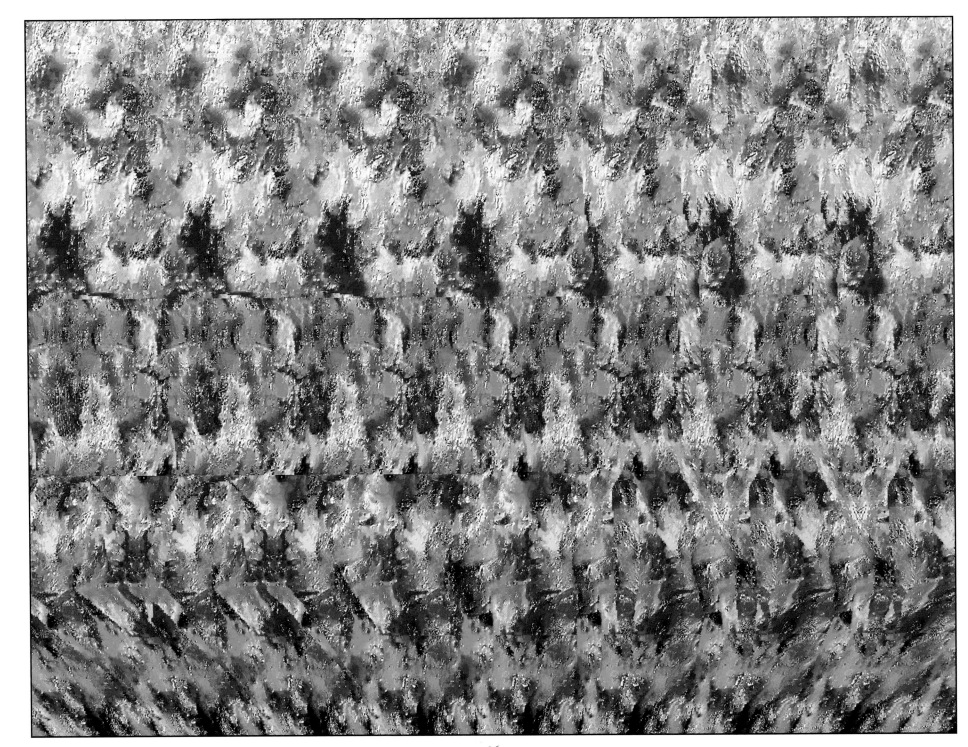

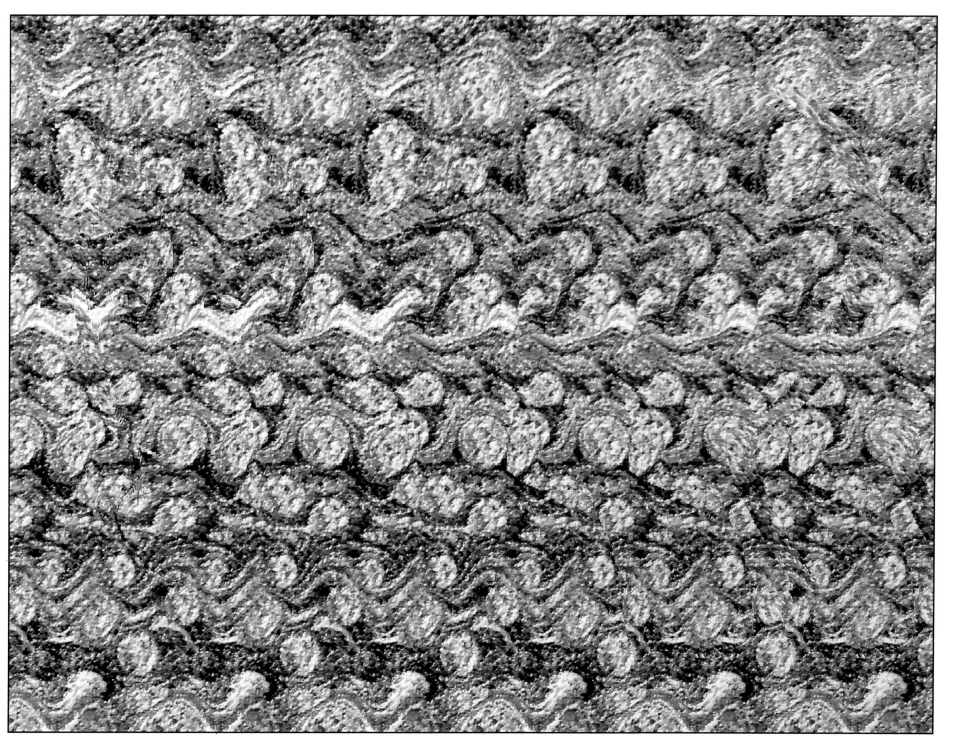

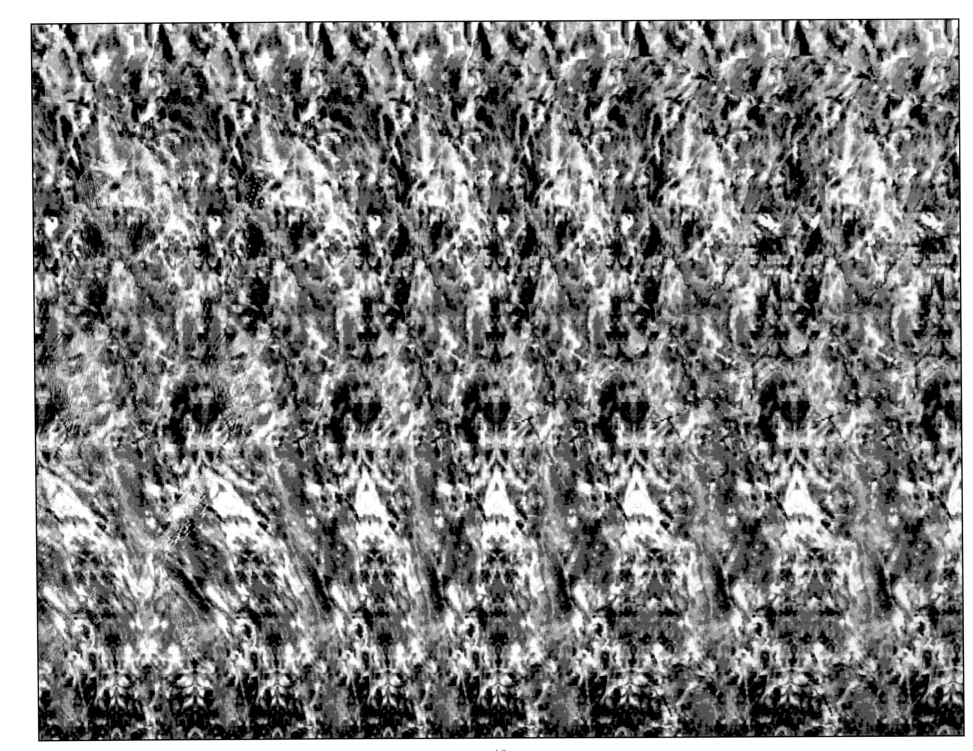

18

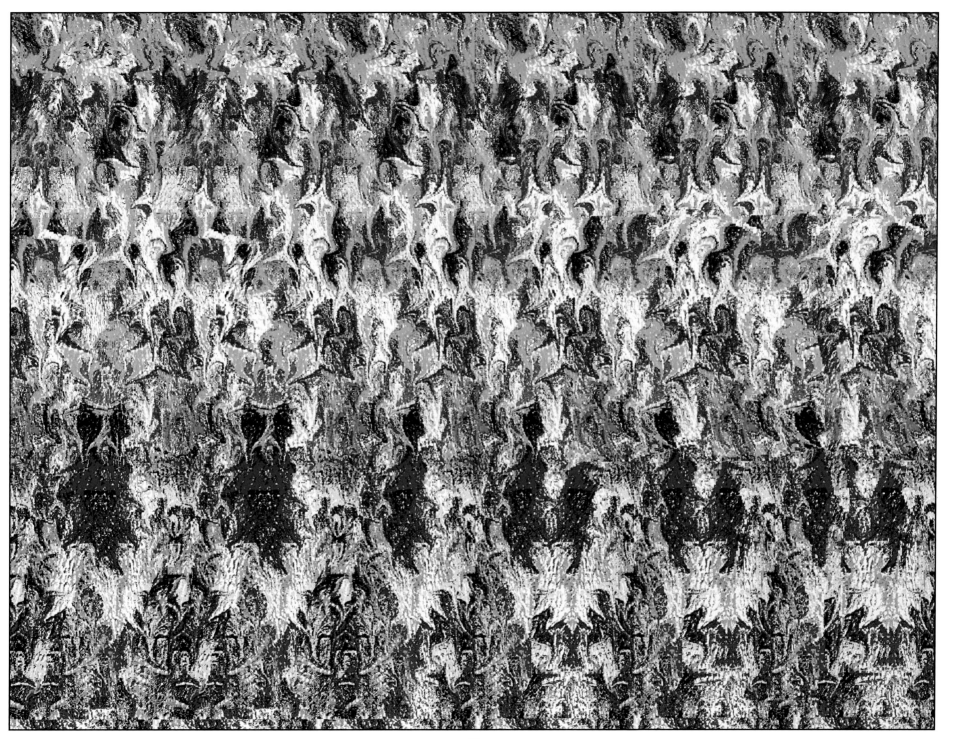

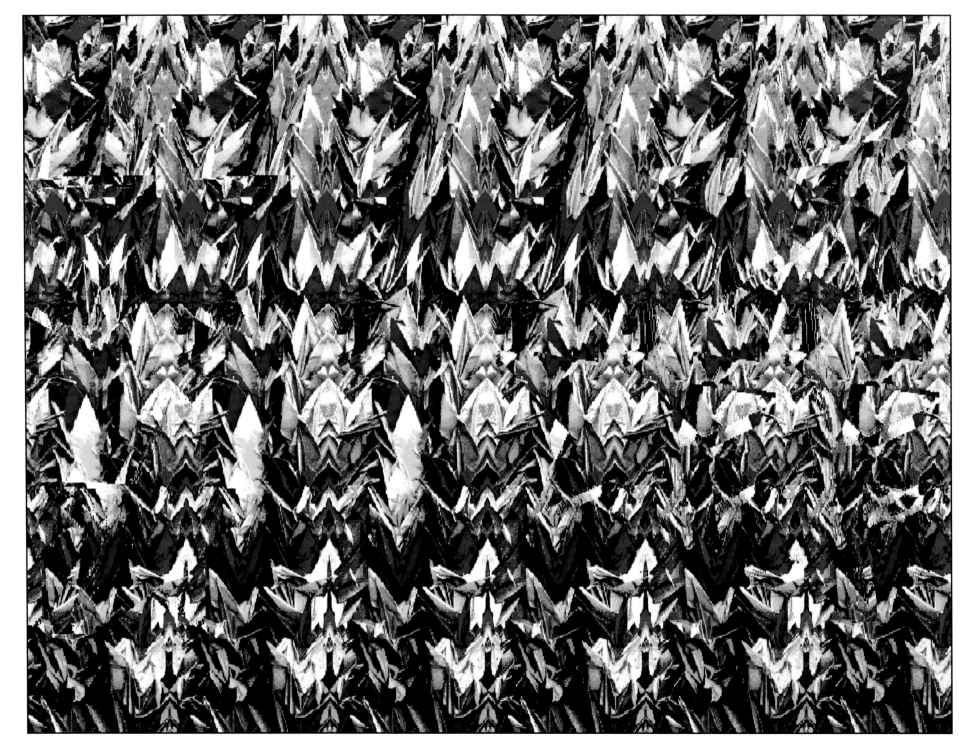

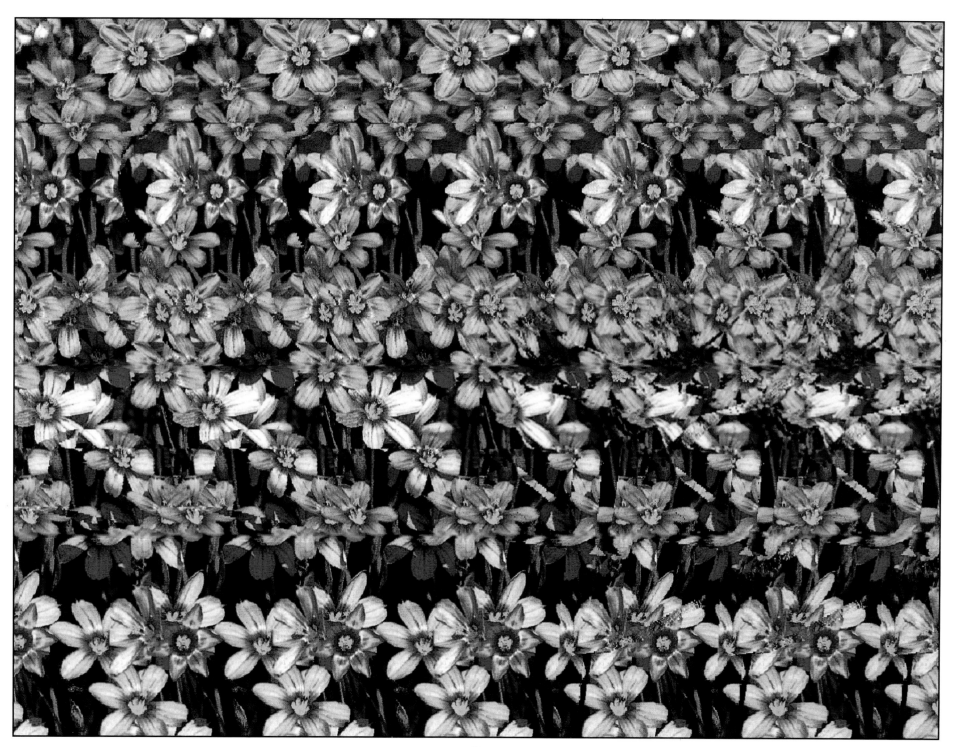

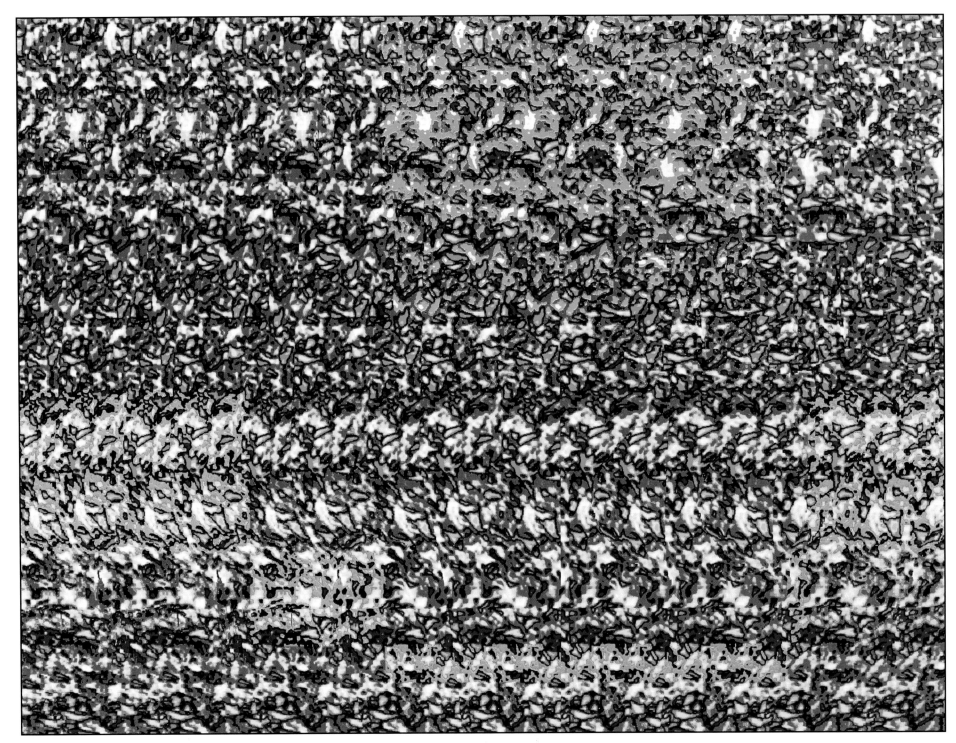

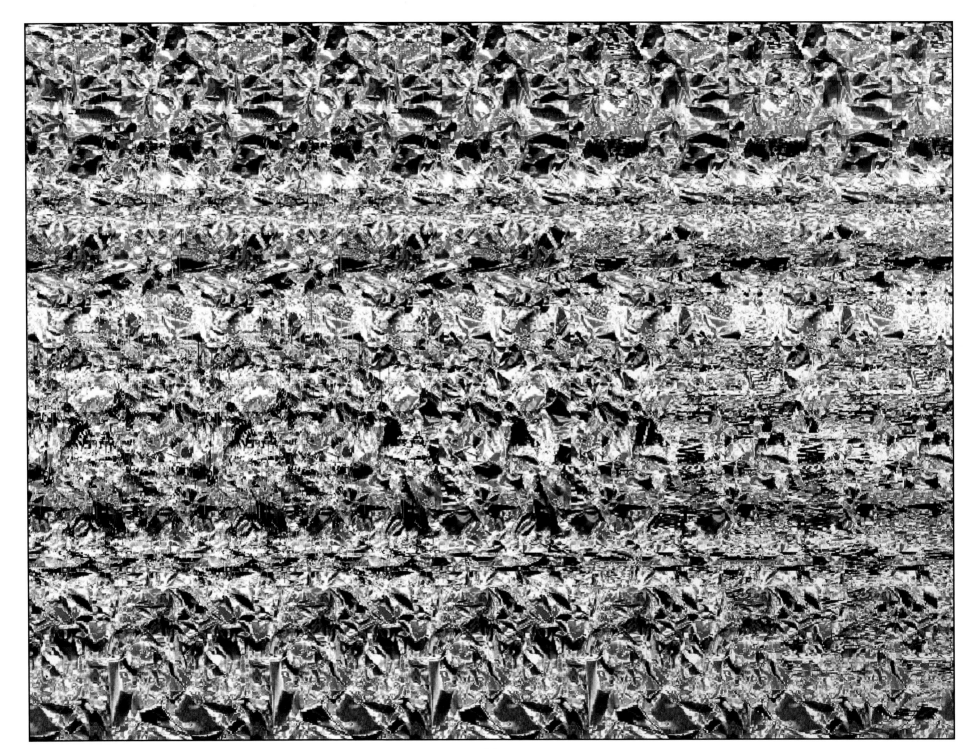

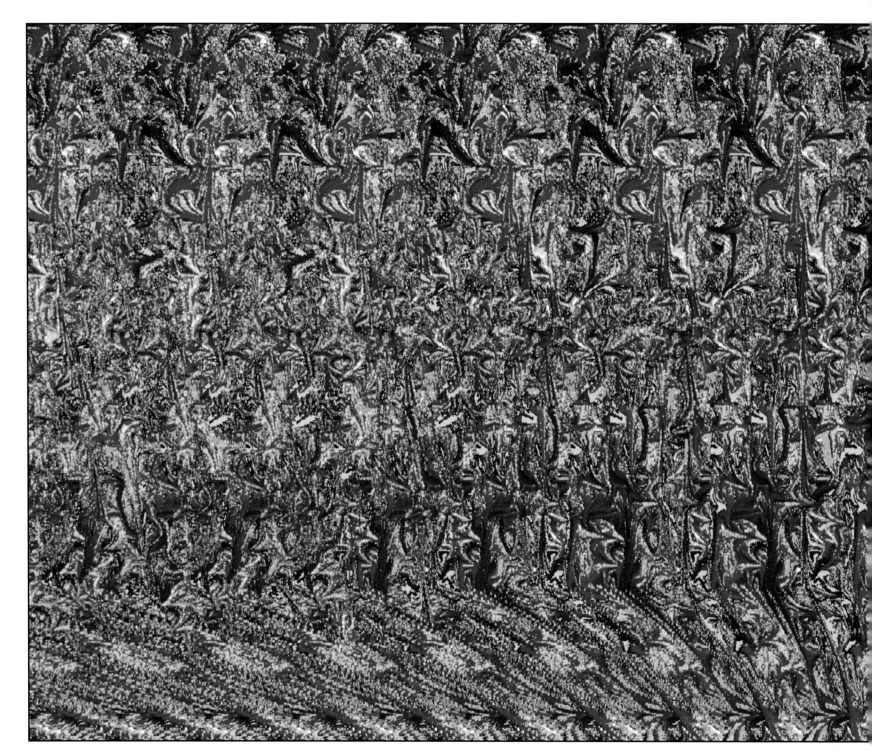

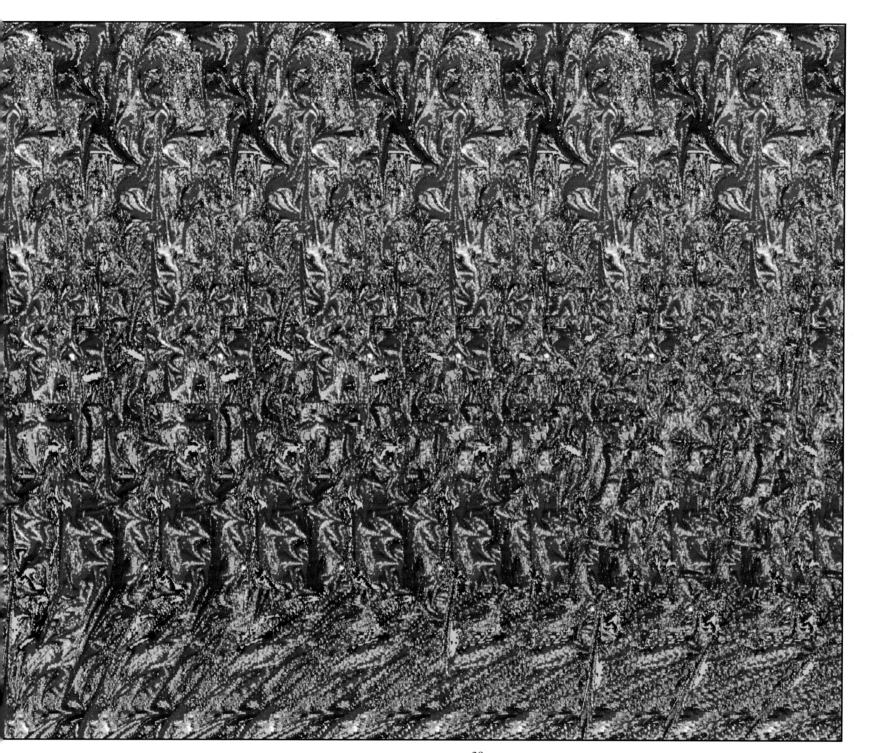

Seite 8   Herz

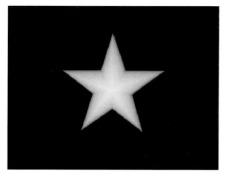

Seite 9   Stern

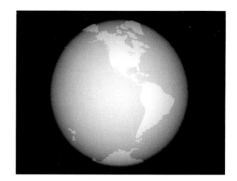

Seite 10   Erdkugel

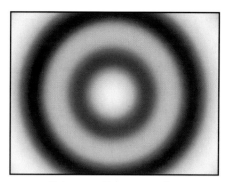

Seite 11   Regentropfen

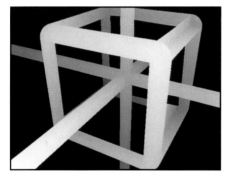

Seite 12   Würfel

Seite 13   Boxende Känguruhs

Seite 14   Lokomotive

Seite   15 Auto

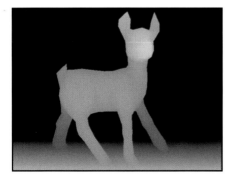

Seite 16   Reh

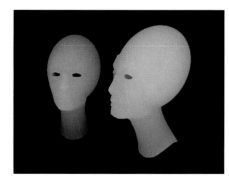

Seite 17   Zwei Köpfe

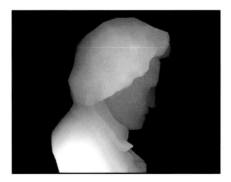

Seite 18   Ludwig van Beethoven

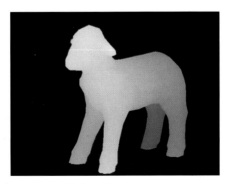

Seite 19   Lamm

Seite 20   Papiersterne

Seite 21   Blume

Seite 22   Stilleben

Seite 23   Flugzeug

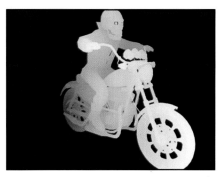

Seite 24   Motorrad mit Fahrer

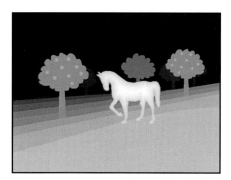

Seite 25   Pferd

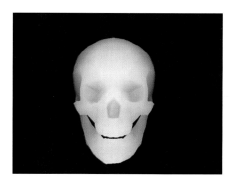

Seite 26   Totenkopf

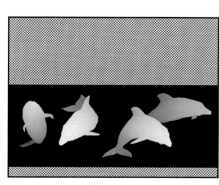

Seite 27   Delphine

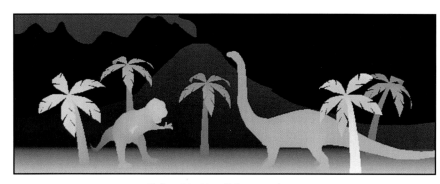

Seite 28-29   Dinosaurier

Seite 30   Kristallkugel

Immer gut
für eine Überraschung

Das Programm der arsEdition

Außergewöhnliche Bücher und Papierartikel – mit Geschmack gestaltet, mit Sorgfalt hergestellt.

Kinderbücher

- Pappbilderbücher für die Kleinsten
- Klappbilderbücher zum Spielen und Entdecken
- Erzählende Bilderbücher für die Phantasie
- Sprachbücher für das spielerische Fremdsprachenlernen
- Beschäftigungsbücher mit kreativen und lehrreichen Ideen
- Sachbücher für das Erste Wissen

...zum Beispiel

ISBN 3-7607-**4599-7**

Barbara Taylor
Bildatlas der Tiere
Ein eindrucksvolles Gesamtbild der Tierwelt – mit bestechend präzisen Illustrationen, bildhaften Landkarten, informativen Farbfotos und einer Fülle faszinierender Fakten.
64 Seiten/27 x 35 cm

Geschenkbücher

- Bildbände mit sorgfältig ausgewählten Texten als besondere Geschenke
- Fröhlich-freche Cartoon-Bücher, damit der Humor nicht zu kurz kommt
- Kleine Bücher, die große Freude bereiten
- Außergewöhnlich ausgestattete Bücher mit dreidimensionalen Bildern

...zum Beispiel

ISBN 3-7607-**8259-0**

Christopher Frayling / Helen Frayling / Ron van der Meer
Das Kunst-Paket
Ein Streifzug durch die bildende Kunst mit einleuchtenden Beispielen, dreidimensionalen Bildern und vielerlei erstaunlichen Effekten. Auf jeder Doppelseite entfalten sich neue kleine Papierwunder, die Grundelemente der Kunst verständlich machen: Perspektive, Licht, Farbe, Bewegung, Proportion, Komposition, Form. Kombipack mit auffaltbaren Modellen, Toncassette, Bilderleporello und Beiheft
29 x 29 cm

Papeterie & Boutique

- Jahreskalender und immerwährende Kalender
- Adventskalender – eine große Auswahl wunderschöner Motive in mehreren Formaten
- Grußkarten und Geschenkkärtchen für jeden Anlaß
- Lesezeichen für jedes Buchgeschenk
- Merkbücher & Alben, um aufzuschreiben, was wichtig ist

...zum Beispiel

ISBN 3-7607-**4232-7**

Tiffany Adreßbuch
Ein elegantes Adreßbuch mit außergewöhnlichem Dekors: Reproduktionen der kostbarsten Bleiglas-Fenster aus der Tiffany-Sammlung des Metropolitan Museum of Art, New York.
132 Seiten/Spiralbindung/ Register A-Z
10 x 23 cm

Unsere Bücher gibt es in jeder guten Buchhandlung.
Auf Wunsch schicken wir Ihnen gerne unseren Katalog.

arsEdition GmbH
Postfach 430151
80731 München